Highlights™

PUZZLEBUZZ™ NATURE

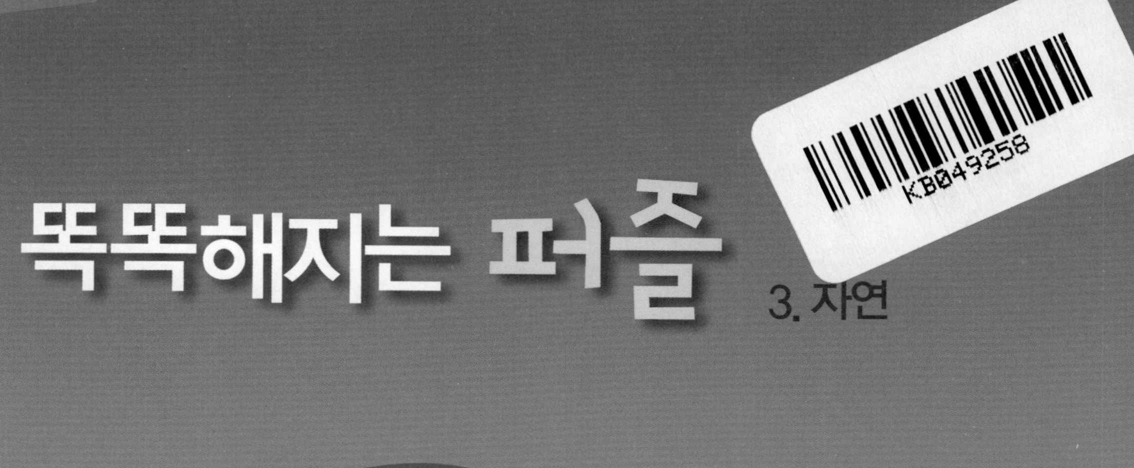

똑똑해지는 퍼즐

3. 자연

Aramy

Hidden Pictures™

새들과 함께 있는 12가지 숨은그림을 찾아요.
Can you find these 12 items hidden with the birds?

정답 36쪽

친구에게 가는 길을 찾아요.

나비가 친구들을 찾아가도록 도와줄 수 있나요?
Can you help this butterfly find its way to its friends?

정답 36쪽

무슨 그림인지 알아맞혀 보세요.

PHOTO © KATJA KODBA / SHUTTERSTOCK

PHOTO © DEBBIE OETGEN/SHUTTERSTOCK

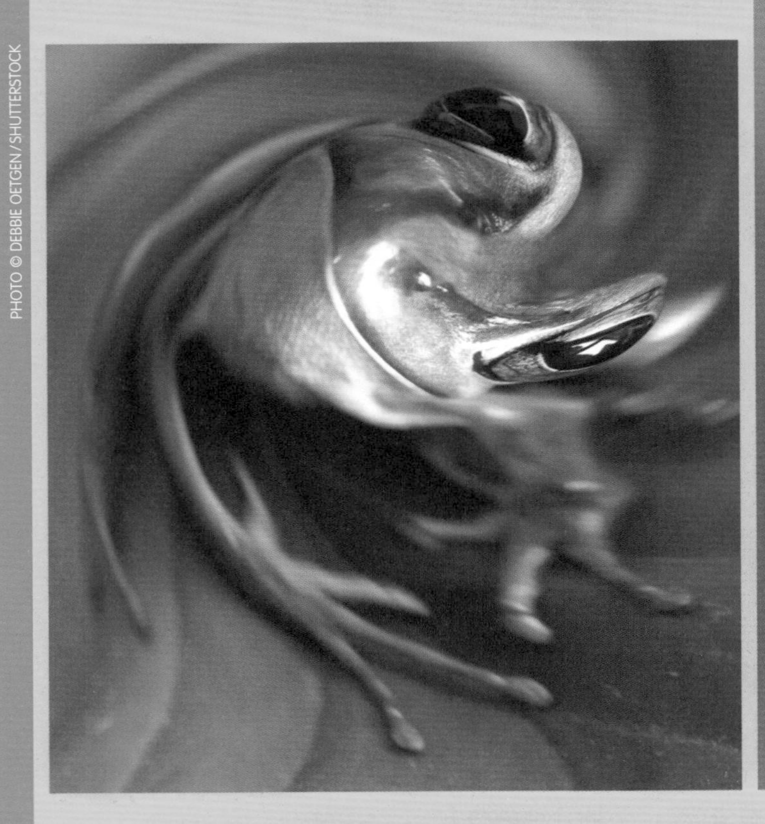

PHOTO © MAWROIDIS KAMILA / SHUTTERSTOCK

작은 동물들의 모습이 뒤틀리고 구부러져 있어요.
These small animals have been twisted and turned.

PHOTO © SHUTTERSTOCK

PHOTO © JAN MARTIN WILL/SHUTTERSTOCK

정답 36쪽

똑같은 그림으로 만들어 보세요.

두 그림이 달라요. 스티커를 붙여서 같은 그림으로 만들어요.

These pictures are a bit different. Add stickers to this page to make them match.

ILLUSTRATION BY MIKE DAMMER

정답 37쪽

알파벳 판에서 곤충 이름을 찾아요.

알파벳 판에 숨어 있는 16가지 곤충 이름이에요.
어떤 단어는 가로로, 어떤 단어는 세로로 놓여 있어요.
The names of 16 insects are hidden in the letters.
Some words are across. Others are up and down.

단어

- ANT 개미
- APHID 진딧물
- BEETLE 딱정벌레
- BUTTERFLY 나비
- CRICKET 귀뚜라미
- DRAGONFLY 잠자리
- FIREFLY 반딧불이
- FLEA 벼룩
- GNAT 각다귀
- HONEYBEE 꿀벌
- HOUSEFLY 파리
- LADYBUG 무당벌레
- LOUSE 이
- MOTH 나방
- TERMITE 흰개미
- ~~WASP~~ 말벌

D R A G O N F L Y X
C M O T H B I Z Q J
R B U T T E R F L Y
I X V Z W E E J T L
C Q G N A T F L E A
K A N T S L L O R D
E V Z J P E Y U M Y
T Z A P H I D S I B
H O N E Y B E E T U
H O U S E F L Y E G

깔개 위를 기어가는 세 마리의 벌레를 그려 보세요.

Draw three insects on a rug.

정답 37쪽

나뭇잎 암호를 풀어 봐요.

나뭇잎 암호를 사용해 문장을 완성해 보세요.
Use the leaf code to fill in the letters and finish the jokes.

나무 도둑을 뭐라고 부를까요? What do you call a tree robber?

식물은 무엇을 마시는 걸 좋아할까요? What do plants like to drink?

나무는 왜 장기 놀이를 하지 않을까요? Why didn't the tree play checkers?

  '  

       -    

층층나무에 어떻게 얼룩을 만들 수 있을까요? How can you spot a dogwood tree?

정답 37쪽

비버가 집까지 어떻게 갈까요?

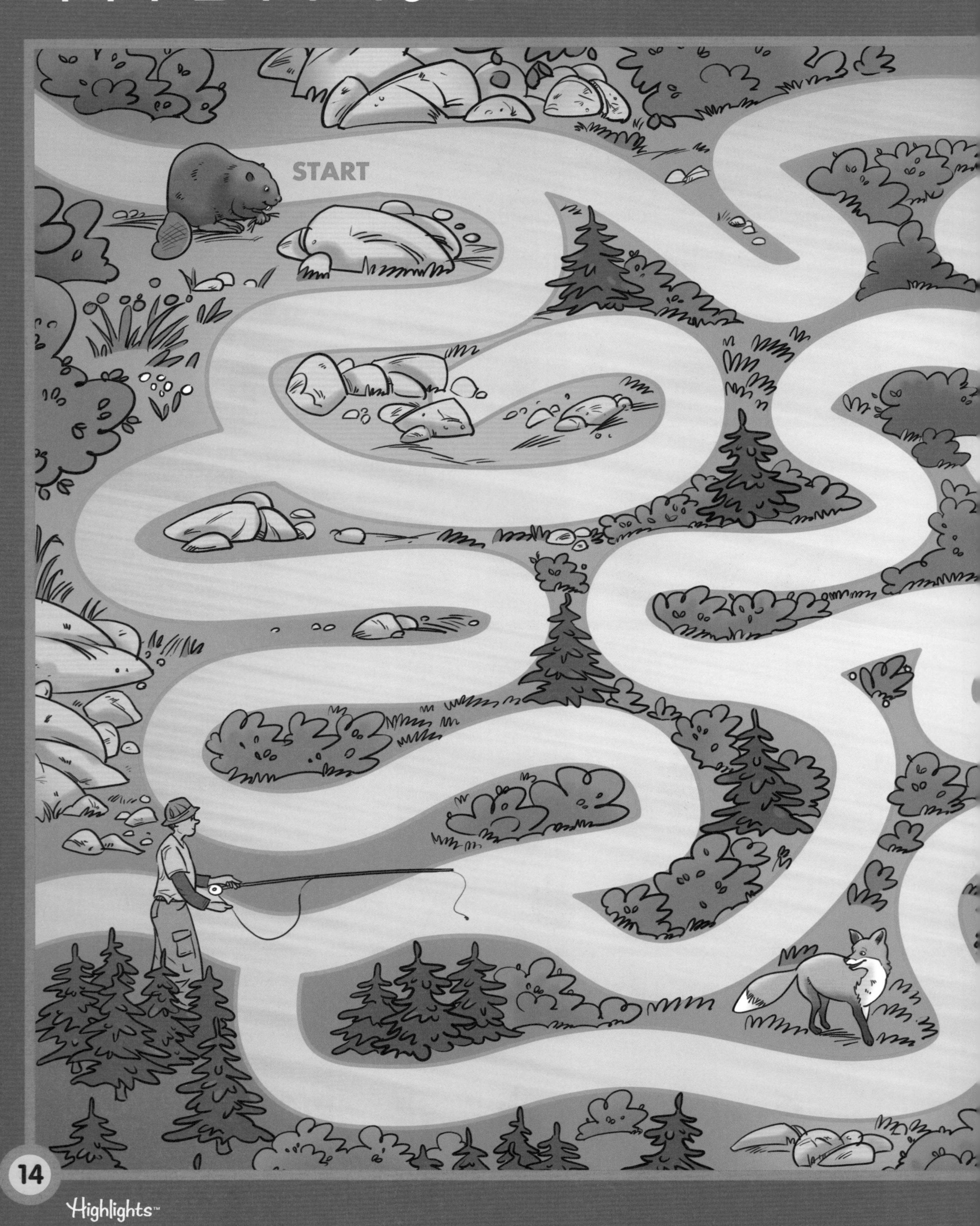

비버가 집으로 돌아갈 수 있게 도와줄 수 있나요?
Can you help this beaver get back to his lodge?

ILLUSTRATION BY RALPH VOLTZ

정답 37쪽

무엇이 잘못됐을까요?

스티커로 그림을 완성하고 이상한 장면 15곳을 찾아보세요.

Use your stickers to finish the picture. Then see if you can find at least 15 silly things.

ILLUSTRATION BY DAVID COULSON

정답 37쪽

예쁜 나비를 찾아요.

이 꽃밭에는 예쁜 나비들이 가득해요. 14마리의 나비를 찾아봐요.
This flower garden is filled with beautiful butterflies. Can you find all 14?

정답 38쪽

같은 그림을 찾아요.

같은 버섯 두 개를 찾아보세요.

Can you find the two mushrooms that are the same?

같은 꽃 두 송이를 찾아보세요.

Can you find the two flowers that are the same?

정답 38쪽

그림을 배워 볼까요?

점이 있는 부분을 색칠하면 사막에 사는 동물이 나타나요.

Color each space that has a dot to see a desert dweller.

같은 숫자가 있는 칸은 같은 색깔로 어항을 색칠해요.

Color by number. Use crayons to color this fish tank.

달팽이를 순서대로 따라 그려 보세요.
Follow the steps to draw a snail.

ILLUSTRATION BY RON ZALME

1.

2.

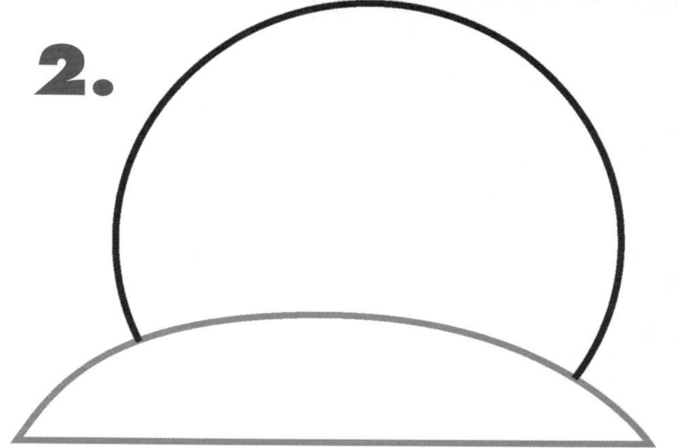

3.

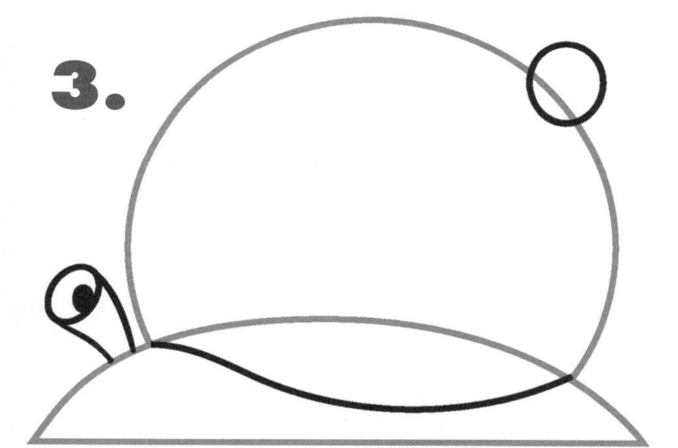

4.

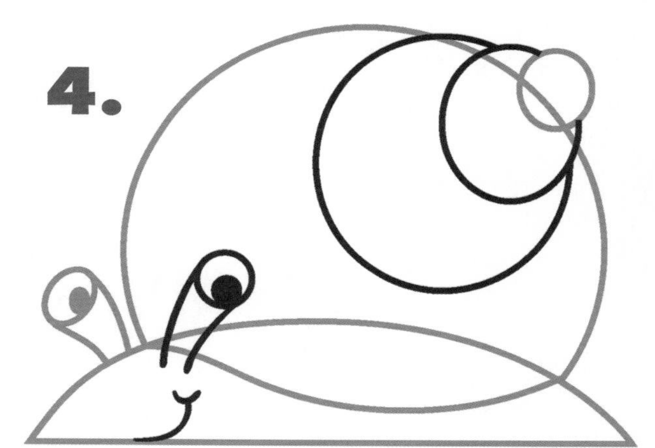

5.

정답 38쪽

Hidden Pictures™

숨은그림을 찾고 스티커를 붙이세요.

Find all the hidden objects. Place a sticker on each one.

정답 38쪽

꽃 암호를 풀어 봐요.

각각의 꽃에 해당하는 알파벳을 이용해 문장을 완성해 보세요.
Use the flower code to fill in the letters and finish the jokes.

어떤 식물이 수학을 좋아할까요? What plant loves math?

_____ _____ _____ _____ - _____ _____ _____ _____ _____ _____

모두가 가진 꽃은 어떤 꽃일까요? What flower does everyone have?

_____ _____ _____ _____ _____ _____

큰 꽃이 작은 꽃을 보고 뭐라고 했을까요? What did the big flower say to the little flower?

"_____ _____, _____ _____ _____."

제빵사는 무엇을 키우기를 좋아할까요? What does a baker like to grow?

_____ _____ _____ _____ _____ _____

_____ _____ _____ _____ _____ _____

정답 39쪽

똑같은 짝을 찾아요.

똑같이 생긴 벌레들이 있어요. 10쌍을 찾아보세요.

Every beetle in the picture has one that looks just like it. Find all 10 matching pairs.

정답 39쪽

무슨 그림인지 알아맞혀 보세요.

아기 동물들의 모습이 뒤틀리고 구부러져 있어요.

These baby animals have been twisted and turned.

정답 39쪽

알파벳 판에서 나무 이름을 찾아요.

알파벳 판에 숨어 있는 18가지 나무 이름이에요.
어떤 단어는 가로로, 어떤 단어는 세로로 놓여 있어요.
The names of 18 trees are hidden in the letters.
Some words are across. Others are up and down.

나무 위에 있는 새나 고양이를 그려 보세요.

Draw a bird or a cat in a tree.

정답 39쪽

Hidden Pictures™

캠핑장에서 12가지 숨은그림을 찾을 수 있나요?

Can you find these 12 items hidden in this camping scene?

정답 39쪽

정 답

2쪽

3쪽

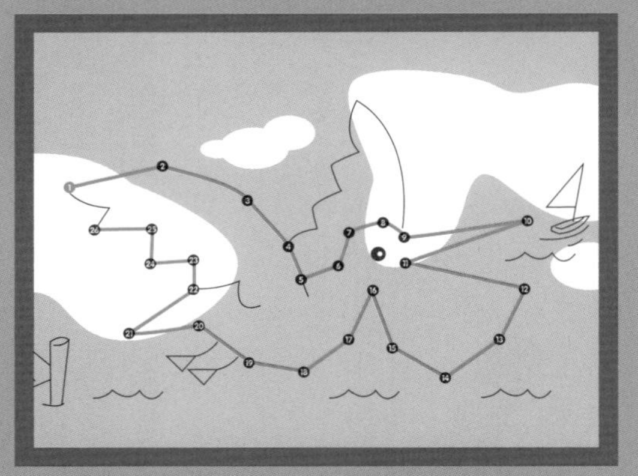

4쪽

START
FINISH

6쪽

쥐 mouse
다람쥐 chipmunk
벌새 hummingbird
개구리 frog
달팽이 snail
금붕어 goldfish

8쪽

10쪽

D	R	A	G	O	N	F	L	Y	X
C	M	O	T	H	B	I	Z	Q	J
R	B	U	T	T	E	R	F	L	Y
I	X	V	Z	W	E	E	J	T	L
C	Q	G	N	A	T	F	L	E	A
K	A	N	T	S	L	L	O	R	D
E	V	Z	J	P	E	Y	U	M	Y
T	Z	A	P	H	I	D	S	I	B
H	O	N	E	Y	B	E	E	T	U
H	O	U	S	E	F	L	Y	E	G

12쪽

Q. 나무 도둑을 뭐라고 부를까요?
A. A leaf thief

Q. 식물은 무엇을 마시는 걸 좋아할까요?
A. Root beer

Q. 나무는 왜 장기 놀이를 하지 않을까요?
A. It's a chess-nut.

Q. 층층나무에 어떻게 얼룩을 만들 수 있을까요?
A. By its bark

14쪽

16쪽

다른 이상한 장면을 더 찾아보세요.

정 답

18쪽

20쪽

21쪽

22쪽

낙타예요!

24쪽

26쪽

Q. 어떤 식물이 수학을 좋아할까요?
A. Asum-flower

Q. 모두가 가진 꽃은
어떤 꽃일까요?
A. Tulips

Q. 큰 꽃이 작은 꽃을 보고 뭐라고
했을까요?
A. "Hi, bud."

Q. 제빵사는 무엇을 키우기를
좋아할까요?
A. A flour garden

28쪽

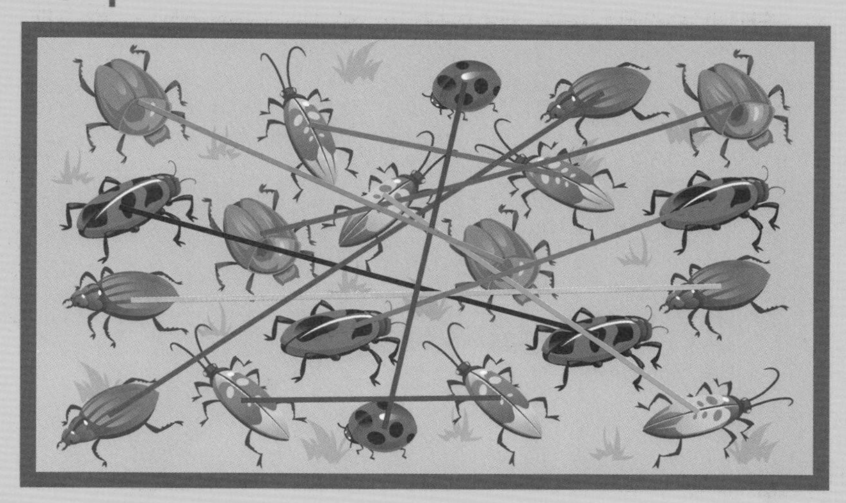

30쪽

32쪽

J A S P E N O W Q
V F P A L M A A X
B I R C H Y K L R
E R U Z J P I N E
E Y C E D A R U D
C H E S T N U T W
H Q L V P E A R O
X Z M A P L E Y O
Y J D O G W O O D
W I L L O W A S H

34쪽

35쪽

어떤 장면일까요?

어떤 장면이라고 생각하나요? 말풍선을 완성해 보세요.
What do you think is happening in this cartoon? Add some words to finish it.